日本共産党創立95周年 記念講演

歴史踏まえ 激動の情勢切り開こう

歴史的激動と日本共産党 ──都議選と国連会議について

志位和夫 委員長

日本共産党の95年の歴史を語る

不破哲三 社会科学研究所所長

新都議のあいさつ 大山とも子 原のり子

95

日本共産党中央委員会出版局

日本共産党創立95周年記念講演

歴史踏まえ 激動の情勢切り開こう

目次

日本共産党創立95周年記念講演会

歴史的激動と日本共産党
――都議選と国連会議について

志位和夫委員長の講演

2017年7月19日

講演する志位和夫委員長＝2017年7月19日、東京都中野区

参加されたみなさん、インターネット中継をご覧の全国のみなさん、こんばんは（**「こんばんは」の声**）。日本共産党の志位和夫でございます（**拍手**）。今日は、会場をあふれるこんなにたくさんのみなさんが、ようこそお越しくださいました。まず心からお礼を申し上げます。ありがとうございました。（**拍手**）

私たちは、今年の7月15日――日本共産党創立95周年を、国内外の二つのうれしい出来事のもとで迎えました。一つは、7月2日に行われた東京都議会議員選挙で日本共産党が躍進をかちとったことであります（**拍手**）。いま一つは、7月7日、ニューヨークで行われていた「国連会議」で、人類史上初めての核兵器禁止条約が採択されたことであります

（拍手）。事柄の性格は違いますが、どちらも「歴史的」な出来事ではないでしょうか。（「そうだ」の声、拍手）

そこで今日は、この二つの出来事に焦点をあてて、「歴史的激動と日本共産党」と題してお話をさせていただきたいと思います。どうか最後までよろしくお願いいたします。（拍手）

都議選での躍進――難しい条件のもとでなぜ勝利できたか

「共産党が躍進して、自民党が大敗した。こんなにうれしいことはない」

まず、東京都議選でありますが、都議選で日本共産党は、17議席から19議席へと伸ばすことができました（拍手）。得票も77万票と、前回票を19万票増やすことができました。（拍手）

この躍進は、これまでの一連の選挙での躍進とは一味違う喜びがあると思います。こういう声が寄せられております。「これまでは共産党が躍進しても、自民党も勝っていた。今度は、共産党が躍進して、自民党が大敗した（拍手）。こんなにうれしいことはない」。同感であります。今回の都議選では、少なくない選挙区で最後の1議席を自民党と競り合い、共産党が激戦を制し、勝利をかちとりました（拍手）。ここに格別の喜びがあるのではないでしょうか。（拍手）

私は、ご支持いただいた都民のみなさん、大奮闘された支持者、後援会員、党員のみなさんに心からのお礼を申し上げます（拍手）。また、19人の候補者の勝利は、勝利に届かなかった候補者も含めて、37人の候補者が一丸となってたたかった結果であり、私は、そのすべての奮闘に対して、心からの敬意を表したいと思います（拍手）。そして、この勝利は、東京の勝利のみならず、全国の勝利であります。都議選を「わがこと」としてたたかい、物心両面で支援を寄せてくださった全国のみなさんに、中央委員会を代表して、熱くお礼を申し上げます。（大きな拍手）

この選挙戦の総括は、東京都委員会を中心に行うことになると思います。私は、ともにたたかった一人として、若干の感想を話したいと思います。

自民党支持が崩れるもとで「非自民」の「受け皿」 ——難しい条件のもとでの選挙

この都議選は、実は、難しい条件のもとでの選挙でした。選挙中は、あまり「難しい」「難しい」と言いませんでしたが**（笑い）**、難しかった。**（笑い）**

これまでの選挙——国政選挙や都議選では、自民党の支持が崩れるもとで、「非自民」の「受け皿」がつくられるような選挙では、日本共産党は後退を余儀なくされてきました。残念ながら、これまでは例外はなかったのです。最近では、1993年の「自民か、非自民か」のキャンペーン、2009年の「自民か、民主か」の「政権選択」のキャンペーンが猛威を振るった選挙で、わが党は悔しい後退を喫しました。

今回の選挙も、自民党の支持が大きく崩れるもとで、「都民ファーストの会」という新しい「受け皿」勢力が登場しました。結果として、この勢力は55議席、総定数の4割を超える議席を獲得しました。いわば、東京都議会の議員定数が一挙に4割減るようなものです。そうした難しい条件のもとで、日本共産党がなぜ勝利することができたか。

まず、「自民・公明対日本共産党」という対決軸を貫いた政治論戦が全体として正確だったということが言えると思います**（拍手）**。また、4年前に17議席に躍進した日本共産党の都議団の実績が、大争点となった築地市場の豊洲移転問題でも、福祉と暮らしの問題でも、抜群だったことも大きな勝因だと思います**（「そうだ」の声、大きな拍手）**。さらに、候補者がどの方も素晴らしい力と魅力をもっていることも、宣伝カーで一緒に訴えての実感であります**（拍手）**。そして、東京と、全国のみなさんの大奮闘がありました。それらにくわえまして、私は、二つの点が大切だと感じております。

かつてない安倍・自民党の崩れ——一番の対決者・日本共産党への期待が広がる

第一は、安倍・自民党の崩れが、かつてないほど深刻だったということです。

安倍・自民党による「森友・加計《かけ》」疑惑など国政の私物化、「共謀罪」法の強行や9条改憲など憲法破壊の暴走、異論を敵視する傲慢《ごうまん》な姿勢に対して、都民の怒りが噴き上がりました。私は、選挙戦が進むにつれて、安倍・自民党に対する批判の質が変わったことを感じました。

すなわち、その政策に対する批判だけでなく、その体質・政治姿勢に対する批判、もっと言えば嫌悪感が広がっていったのではないでしょうか（**拍手**）。こうなるともうだめですね（**笑い**）。最終盤に都内を訴えてまわって、どこでも寄せられた声は、「早く安倍さんを辞めさせてほしい」「もうテレビであの顔を見たくない」というものでした。（**「その通り」の声、拍手**）

そういうもとで、自民党の支持基盤というのは実はもろく、弱いものであることが露呈しました。一挙にその基盤が崩れだしました。ある区の自民党の元区長の娘さんがたまたま共産党の演説を聞いて、興奮して家に帰ってきた。「今度の選挙は共産党じゃなきゃだめよ」と説得しました。家族会議で話し合いの末、元区長さんを含め家族みんなで共産党候補者に投票することになった（**拍手**）。そういう話も伝わってきました。

目黒区で得票を2・3倍にのばし、自民党現職を共倒れに追い込んで勝利した星見てい子都議からは、次のような報告が寄せられています。「高級住宅地が集中している地域で訴えると、ベンツの車中から次々に『必ず入れる』と声がかかる（**笑い、拍手**）。つかつかと歩みよってきた男性が、ほとんど怒った声で『自民党を落とせ。がんばれ』と声をかけてくる。これまで全く反応がなかった中高年のサラリーマン層が変化した」（**拍手**）

こうした熱風のような安倍・自民党への怒りの流れは、にわか作りの「受け皿」でせき止められるようなものではありませんでした。安倍・自民党に対して、あらゆる問題で、一番のぶれない対決者として奮闘してきた日本共産党への期待が広がりました。（**大きな拍手**）

東大教授で政治学者の宇野重規《しげき》さんは、こう分析しています。「特定秘密保護法から安保法制、共謀罪、さらに原発、これらの課題で一貫して極めて強い批判勢力があり、それが日本全国で確固として存在している。この人たちの受け皿になり得たのは、都民ファーストでなく共産党だった」（**「そうだ」の声、拍手**）。〝怒れる有権者〟は共産党に投じたという分析であります。

安倍・自民党の崩れは、もちろん東京だけのことではありません。全国いたるところで起こっていることは間違いありません。みなさん、来たるべき総選挙にむけ、安倍政権打倒のたたかいを、全国いたるところで起こし、自民党政治を終わらせようではありませんか。（**「そうだ」の声、大きな拍手**）

野党と市民の共闘をよびかけ、実践してきたことに、評価をいただいた

第二は、日本共産党が、野党と市民の共闘をよびかけ、実践してきたことに、これまでにない広範な方々からの評価をいただいたということであります。

志位委員長、小池書記局長はじめ、19の党議席を獲得した各氏と衆院東京比例の議員・候補による緊急街頭演説＝2017年7月3日、東京・新宿駅西口

今回の都議選で、わが党は、六つの選挙区で他会派・無所属候補を支援・推薦してともにたたかいました。同時に、調べてみますと、なんと21の選挙区で、他党・他会派からの支援・推薦をいただきました（**拍手**）。都内各地で、わが党の候補者を、民進党、自由党、社民党、生活者ネット、新社会党、無所属会派の地方議員のみなさんが支援し、応援弁士に立っていただくなど、かつてない共同のたたかいが広がりました（**拍手**）。自由党の山本太郎共同代表、二見伸明公明党元副委員長からも、心のこもった応援をいただきました。各地で、勝手連やサポーターズなど無党派や市民運動のみなさんが、自らのたたかいとして、選挙戦をともにたたかってくれました。私も、ご一緒する機会がたくさんありましたが、多くの方が、「野党と市民の共闘を前進させるうえでも、共産党にのびてほしい」という熱い期待を語ってくれました（**拍手**）。たいへん心強く、うれしいことでありました。

文京区の福手ゆう子都議候補は、僅差で惜敗しましたが、獲得した2万6782票（得票率27・9％）は、都議選史上過去最高の得票となりました（**拍手**）。これは、野党と市民の共闘なくしてはありえない得票であります。文京区では、共産党区議団が、民進党、社民党、無所属議員の方々などと議会内での共同を強め、安保法制廃案を求める請願、特養ホーム増設、35人学級実施を求める請願などを採択してきました。こうした共同が基礎となって、民進党東京都2区総支部長と他会派の7人の区議のみなさんが、福手候補の支持を表明し、ともにたたかってくれました。私も、文京区に応援にいくたびに、他会派の区議のみなさんがずらりと宣伝カーの横に並んで福手必勝を訴えてくださっている、その姿に、胸が熱くなる思いでありました（**拍手**）。こういう共闘の着実な流れは、この首都・東京でも広がったのであります。

私は、安倍・自民党のかつてない崩れがあったとしても、そのもとで、仮にわが党が「独りわが道を行く」といった姿勢であったら、19議席は得られなかったのではないかと思います（**拍手**）。わが党が、野党と市民の共闘によって、本気で安倍政権を倒す、本気で安倍政権に代わる別の選択肢――「受け皿」をつくるという道に踏み出していたからこそ、党派の違いを超えて支援の輪が広がったのではないでしょうか（「**そうだ**」**の声**、**大きな拍手**）。そして、そういう本気度が、都民に伝わり、日本共産党に一票を投じてみようという流れが広がったと、私は考えるものであります。

19議席は、決して、わが党だけの成果ではありません。それは幅広い共闘のたまものであります（「**そうだ**」**の声**、**拍手**）。それは、みんなの力でかちとった「歴史的」と言ってもよい成果ではないでしょうか（**大きな拍手**）。私は、わが党候補に、温かい支援を寄せてくださった他党・他会派のみなさん、無党派・市民運動のみなさんに、心からの感謝をささげたいと思います（**拍手**）。また、寄せていただいた期待にこたえ、野党と市民の共闘をさらに発展させるために、誠実に力をつくすことをお約束したいと思います。（**拍手**）

すみやかな解散・総選挙を要求する――共闘の態勢を最大のスピードでつくろう

首都・東京の審判は、安倍政権にレッドカードをはっきり突きつけるものになりました。国政私物化を恥と思わない政治、憲法を平気で壊す政治、自らに対する異論や批判を「こんな人たちに負けるわけにはいかない」と敵視する傲慢な政治を、このまま続けさせるわけには断じていきません（「**そうだ**」**の声**、**大きな拍手**）。首都・東京は、はっきりと答えを出しました。この結果を踏まえて、わが党は、すみやかに解散・総選挙を行うことを強く求めるものであります。（**大きな拍手**）

野党と市民のしっかりした共闘の態勢を、最大のスピードでつくりあげ、安倍・自公政権を解散に追い込もうではありませんか。

来たるべき総選挙では、野党と市民の共闘を必ず成功させ、日本共産党を躍進させ、安倍政権を倒し、国民の声が生きる新しい政治をつくろうではありませんか。（「**そうだ**」**の声**、**大きな拍手**）

歴史的な核兵器禁止条約の採択――世界は大きく変わりつつある

つぎに、「国連会議」についてお話ししたいと思います。７月７日、ニューヨークで行われていた「国連会議」は、人類史上初めて核兵器を違法化する核兵器禁止条約を、国連加盟国の約３分の２――１２２カ国の賛成で採択しました。「ついに歴史が動いた」（**拍手**）

これは会議に参加したすべての人々の共通の感動でありましたが、日本でこのビッグニュースを受け取ったみなさんも同じ思いだったのではないでしょうか（**拍手**）。まずこの歴史的な壮挙をともに喜びたいと思います。（**大きな拍手**）

私は、日本共産党代表団の団長として、３月27日から31日に行われた第１会期に続いて、６月15日から７月７日に行われた第２会期の大詰めの時期に「国連会議」に参加しました。「国連会議」が達成したものは何か、そこから見えてくる21世紀の新しい世界はどんなものか、今後の課題は何かについて、報告もかねてお話ししたいと思います。

世界が大きく動く歴史的瞬間――議場は総立ちの拍手と歓声に包まれた

まず、条約が採択された最終日（７月７日）の様子です。

条約採択の瞬間、会場前方の画面に「賛成　１２２」という数字が映し出されますと、参加者の喜びが爆発しました。議場は総立ちとなり、拍手と歓声に包まれ、政府代表も市民社会代表も抱き合って喜び、新たな歴史の幕開けを祝福しあいました。私自身、世界が大きく動く歴史的瞬間に立ち会うことができたという、心躍るような喜びを感じ、拳を突き上げて立ち上がり、「ブラボー」と叫んでしまいました。（**拍手**）

採択後、40人近くの政府代表から歓迎の発言が続きました。

「ヒバクシャ」の果たした役割に、

核兵器禁止条約の採択が決まった歓喜の中で握手を交わす被爆者のサーロー節子さん（中央）と藤森俊希さん（その左）＝2017年7月7日、ニューヨークの国連本部（池田晋撮影）

次々と熱い感謝が寄せられました。南アフリカの代表は、「今日ここにいる『ヒバクシャ』に賛辞を送りたい。彼らがいたからこそ、この条約が可能になりました」とのべました。

会議の正式な構成メンバーとなった市民社会にも連帯の言葉が続きました。チリの代表は、「市民社会は、この交渉の道義的な羅針盤を示しました。彼らをたたえます。彼らは、この交渉の真の『同僚』です」と語りました。

続いて、広島の被爆者でカナダ在住のサーロー節子さんが発言しました。「この瞬間が来るとは思ってもみませんでした。この日を70年間待ち続け、喜びに満ちています。これは核兵器の終わりの始まりです。私は世界の指導者たちに心からお願いします。この地球を愛するなら、この条約にサインしてください」**（拍手）**。万雷の拍手が起こりました。

エレン・ホワイト議長が、サーロー節子さんの発言への感謝とともに、「ついに核兵器禁止条約ができました」と閉会を宣言しますと、議場はふたたび総立ちの拍手と歓声に包まれました。

国連の会議では慣習として拍手はしないということになっているそうです。日本の国会ではヤジも拍手もありますが**（笑い）**、だいぶ様子が違うんですね。国連の会議で拍手が連続して起こり、鳴りやまない状況というのは、国連史上でもおそらく初めてのことであり、この条約採択がいかに歴史的なものかを象徴する情景であったということを、まず報告しておきたいと思います。**（大きな拍手）**

日本政府不在のもとでの日本共産党の貢献について

条約が採択された後、私は、議長席に行きまして、ホワイト議長に、「歴史

条約採択を受けて、ホワイト議長（左端）と握手する志位委員長＝2017年7月7日、国連本部（遠藤誠二撮影）

的な核兵器禁止条約が採択されたことを、日本国民を代表して歓迎します（**拍手**）。議長の素晴らしいリーダーシップに心から感謝します」と祝意を伝えました。ホワイト議長は、「こちらからもお礼を申し上げます。あなたが、市民社会の一員として第1会期にも第2会期にも熱心に参加していただいたことに感謝します」と応じました。さらに私が、「被爆国である日本が、この条約に参加できるように力をつくしていきたい」と決意を伝えますと、議長は満面の笑みで「そういうことになるように、期待しています」とのべました。この「国際公約」は、ぜひとも果たしたいと決意しているところであります。（**大きな拍手**）

日本共産党代表団は、3月下旬の第1会期で、「要請文」、「文書発言」を国連に提出し、38の国・機関と個別に要請・懇談を行いました。短いものですが党として初めて国連で公式の演説を行うこともできました（**拍手**）。国連のウェブサイトを開いていただければ、私の演説が掲載されておりますので、ぜひご覧ください。

そこで私たちが要請した中心点は、〝核兵器保有国の参加を追求しつつ、それが得られなくても核兵器を禁止する条約を早期に締結しよう、条約の内容は核兵器廃絶の詳細な手続きを定めるものでなく、まず禁止条約を一致できるところで作成し、核兵器廃絶への一歩を踏み出そう〟というものでした。

この要請の中心点は、多くの参加国に共有され、その方向で会議が進行し、国際的な英知を結集し、歴史的な条約ができあがりました。そういう点では、日本共産党は、会議成功に向けて、一つの貢献ができたと考えるものであります。（**拍手**）

日本からは、日本被団協（日本原水爆被害者団体協議会）のみなさん、日本原水協（原水爆禁止日本協議会）のみなさんなどが参加し、被爆体験を語り、300万近い「ヒバクシャ国際署名」を届けるなど、会議成功に多大な貢献をしました。一方、日本政府は会議をボイコットしました。そういうもとで、政界からの参加は日本共産党だけとなりました。私たちの活動は、唯一の被爆国で活動する政党として、日本国民の声を、国連に伝えたという点でも、意義ある活動となったということを、確信をもって言いたいと思います。**（大きな拍手）**

核兵器の非人道性を告発、被爆者に心を寄せる
——「理性とハートを結ぶ」

採択された核兵器禁止条約の内容について報告しておきたいと思います。条約は、国際社会の英知を結集して練り上げられたもので、現時点で考え得る最良の内容になったと考えます。

まず「前文」がとても大切であります。そこには条約の思想が盛り込まれています。すなわち、核兵器の非人道性を厳しく告発し、国連憲章、国際法、国際人道法にてらして、その違法性を明確にする太い論理がのべられています。核兵器がいかに非人道的なものであるかは、被爆者のみなさんを先頭に、日本の原水爆禁止運動が戦後一貫して訴えてきたことでありますが、それがついに国際社会の共通認識となり、条約「前文」の基本命題になったのであります。

「前文」には「ヒバクシャ」という言葉が2カ所にわたってでてきます。一つは、「ヒバクシャにもたらされた容認しがたい苦難と損害に留意する」というもので、被爆者がこうむった耐え難い犠牲に心を寄せることを明記したものです。

もう1カ所、核兵器全面廃絶を推進する「市民的良心の役割」を強調した部分に、国連、国際赤十字・赤新月社運動、その他の国際・地域組織、非政府組織、宗教指導者、国会議員、学術研究者と並んで「ヒバクシャ」が明記されています。こうして「ヒバクシャ」は、耐え難い犠牲をこうむった存在であるとともに、「核兵器のない世界」をつくるクリエーター（創造者）として明記されているのであります。これは、戦後、被爆者の方々が歩んできた、苦難はあるが気高い道のりを正当に評価したものではないでしょうか。**（「そうだ」の声、大きな拍手）**

エレン・ホワイト議長は、閉会後の記者会見で、被爆者の発言は、「すべての政府代表を感動させ、人間の魂に訴えるものだった」とのべました。そして、「国連会議」での審議は「理性とハートを結ぶプロセス」だったと語りました。すてきな言葉ですね。私は、条約そのものが、まさに「理性とハートを結ぶ」、血の通った温かい条約となっていることを、まず強調したいと思うのであります。**（拍手）**

なお、条約では、「市民的良心」の担い手として「国会議員」が明記されています。国連の文書で初めてのことだと思います。この点でも、行ったかいがあったと思っております**（笑い、拍手）**。明

記された以上は、いよいよ頑張りたいと決意しているところであります。（**大きな拍手**）

条約の「心臓部」（第1条）――核兵器は全面的に禁止され、違法化された

条約第1条は、条約の「心臓部」（ホワイト議長）であり、核兵器の法的禁止の内容を定めています。核兵器の「開発、実験、生産、製造、取得、保有、貯蔵、移転」などが禁止され、さらに「使用、使用の威嚇《いかく》」が禁止されています。

核兵器の「使用の威嚇」の禁止は、原案にはなく、議論の過程で挿入されたものですが、たいへんに重要であります。いま核保有国や同盟国は「核抑止力」論という考え方を主張しています。核兵器の威嚇――脅しによって安全保障を図ろうというものです。それは、他の国を核で脅して、自らの支配を押し付ける――大国主義・覇権主義の道具にもなっています。条約は、「核抑止力」論を否定したものとして大きな意義があります。（**拍手**）

「国連会議」の討論では、「核抑止力」論について、さまざまな角度からの批判がされましたが、私が、たいへん印象深く聞いた、分かりやすい批判をみなさんに紹介したいと思います。オーストリアの代表の発言です。

「もし核兵器が本当に安全の保障を提供する上で欠かせないのなら、どうしてすべての国家がこの利点から利益を得てはならないのか？　核兵器は世界をより安全にするという議論に従えば、より多くの国々がより多くの核兵器を持った方がよいということを意味することにならないだろうか？　われわれは、そういう議論は信じない。明らかに核兵器が少ない方が、そして核兵器がない方が、われわれは、より安全になるのだ。それのみが、誰をもより安全にするのである」（**拍手**）

そうした議論が行われ、条約に「核抑止力」論の否定が入ったわけであります。

また、条約には、いまあげた条約で禁止されている活動を、「援助し、奨励または勧誘すること」を禁止する条項も盛り込まれました。この条項によって、米国の「核の傘」のもとに入ること――米国による核兵器の威嚇を、「援助、奨励、勧誘」することによって自らの安全保障をはかろうという行為も禁止されました。

さらに、条約では、自分の国の領土に、他国の核兵器を「配置、設置、配備」することを許可すること――核兵器持ち込みを許可することも禁止されています。（**拍手**）

このように、条約は、抜け穴をすべてなくして、文字通り、核兵器を全面的に禁止する内容となっています。核兵器に「悪の烙印《らくいん》」が押されました（「**そうだ**」

の声、**拍手**）。この条約によって、核兵器は、非人道的で、反道徳的なものであるだけでなく、ついに違法なものとなったのであります。（**大きな拍手**）

戦後、70年余の、世界と日本のたたかいがつくりだした条約

もう一つ大事な点があります。この条約の主題は、「核兵器禁止」ですが、同時に、そこには核兵器完全廃絶に向けた枠組みが明記されているということです。条約第4条では、核保有国が条約に参加する二つの道がのべられています。一つは、核兵器を廃棄したうえで条約に参加する道です。いま一つは、条約に参加したうえで核兵器を速やかに廃棄する道です。参加と廃棄、どちらが先でもいいわけです。「核兵器のない世界」を実現するためには、核保有国の条約参加が不可欠ですが、条約は、核保有国に対して、「参加の扉は広く開かれています」というメッセージを送っているのであります。

さらに特筆すべきことは、条約が、被爆者援護の規定を盛り込んだことです。条約第6条では、被爆者への支援を締約国が「差別なく十分に提供する」としています。さらに第7条では、核兵器使用などで被害をあたえた加害国は、被害国に対して、「支援を提供する責任」があることが明記されました（**拍手**）。画期的な条文です。将来、米国がこの条約に参加した場合には、被爆者のみなさんに対する支援の責任ということが問題になりうるわけです。ホワイト議長は、核軍縮条約で、被害者への支援を明記したのは、この条約が初めてであり、それは「核兵器はいかなる状況においても、再び使われてはならないという意味が込められている」と、その意義を強調しました。（**拍手**）

戦後、日本の原水爆禁止運動は、核戦争阻止、核兵器全面禁止・廃絶、被爆者援護・連帯、この三つの柱を一貫して掲げ、不屈のたたかいを続けてきました。日本共産党はこの運動に固く連帯してたたかい続けてきました。大国による干渉もありましたが、それをはねのけて運動を発展させてきました。条約には、その内容が全面的に盛り込まれており、それは、日本の70年余りのたたかいが実を結んだものにほかなりません。（**拍手**）

同時に、そこには世界の運動の到達点も刻み込まれています。1946年の国連総会の第1号決議は、原子兵器の廃絶を求めたものでした。それから紆余《うよ》曲折はありましたが、70年余りの国際的努力の画期的な到達点が、今回の条約にほかなりません。キューバのベニテス・ベルソン軍縮大使は、私たちとの会談で、「この条約は、数週間の結論ではなく、70年におよぶ多国間のとりくみの結実です」と、その歴史的意義を力説しました。

みなさん、まさにその通りだと思います。7月7日に私たちが手にし

た核兵器禁止条約は、戦後、70年余の、世界と日本のたたかいがつくりだした条約であるということを、みんなの確信にし、誇りにして、前進しようではありませんか。（**大きな拍手**）

国際政治の「主役」が、一部の大国から、多数の国ぐにと市民社会に交代した

私たちが、「国連会議」に参加して実感したことは、この会議に、21世紀の新しい世界の姿が現れたということです。

この会議は、核兵器問題にとどまらず、国際政治における大きな転換点となる歴史的会議となったと、私は思います。私は、次の三つの点を強く実感しました。

第一は、国際政治の「主役」が、一部の大国から、多数の国ぐにの政府と市民社会に交代したということであります。

これまでの核兵器交渉といえば、米国と旧ソ連などの核保有大国が「主役」で、その内容は核兵器廃絶ではなくて、核戦力を維持し、核兵器を「管理」するというものでした。ところが、今回の「国連会議」では、核兵器禁止が正面からの主題となり、多数の国ぐにの政府と市民社会が「主役」となりました。条約に賛成した国は１２２ですが、それ以外の国からも１００以上の市民社会代表が参加し、諸政府と市民社会をあわせれば、地球儀を網羅する代表が一堂に会しました。まさに「主役交代」であります。（**拍手**）

そこに現れた世界は、国の大小で序列のない世界です。コスタリカ、オーストリア、アイルランドなど、「小さな国」が大きな役割を発揮し、世界の信頼と尊敬を集めていたことが、とても印象的でした。「理性とハート」をもって会議を成功に導いたエレン・ホワイト議長は、人口４００万人余りのコスタリカの外交官です。会議参加者のだれもが、議長の素晴らしい采配ぶりに、最高の賛辞をおくりました。

政府と市民社会の代表が、互いにリスペクトする会議となりました。エジプトの代表は、条約採択後の演説で、次のような情熱的な賛辞をのべました。「この歴史的成果は、市民社会の積極的参加抜きにはあり得ませんでした。市民社会は通常、会議場の後ろに座り、発言は政府代表の後に許されてきました。しかし、核兵器廃絶への情熱的な献身は、最前列で敬意を表されるべきものです。その努力を称賛したい」

一握りの大国が国際政治を牛耳ってきた時代は、終わりを告げつつあります（**拍手**）。世界のすべての国ぐに、そして市民社会——すなわち世界の民衆が、対等・平等の資格で、世界政治の「主役」となる新しい時代が到来していることを、「国連会議」は生きた形で示したことを、みなさんに報告したいと思います。（**拍手**）

「民主主義が国際社会で可能だ、ということを示した」

第二に、実感したことは、国際社会における民主主義の発展ということです。

条約採択後の演説で、チリの代表がのべた言葉は印象深いものでした。「（今回の会議は）条約の採択だけでなく、民主主義が国際社会で可能だ、ということを示しました。民主主義は（一部の大国の）拒否権を拒否します」（**拍手**）

これまでのジュネーブ軍縮会議やNPT（核不拡散条約）再検討会議はコンセンサス方式をとっています。言い換えますと、「全会一致」の方式です。大国の一国でも「ノー」と言えば――「拒否権」を発動すれば、なんの合意も得られなかった。そういうあり方に、世界の多くの国ぐにが不満をつのらせていました。

そうした世界のあり方を変えていく突破口が、今回の「国連会議」で示されたと思います。会議では、徹底的な民主的運営が貫かれました。条約の基本理念をどうするか。条文をどうするか。さまざまな提案、修正案が出されました。私たちが参加した7月5日は、文字通りの大詰めの討論が行われていましたが、なお異論をぶつけあう。しかし、まとめることを優先する。真剣だが、笑いも出る、集中した討論が続いていました。参加者が対等・平等に意見をのべ、民主主義を通じて一つの結論を得るという、かつてない試みが見事に実を結びました。歴史的条約は、そのつくられていくプロセスが民主的であったという点でも歴史的だったということを、私は強調したいと思うのであります。（**大きな拍手**）

核兵器にしがみつく逆流がいよいよ追い詰められた

第三は、核兵器にしがみつく逆流がいよいよ追い詰められたということです。彼らは、条約交渉を失敗させようと、あらゆる手だてを講じました。条約採択後の演説で、南アフリカの代表は、「『（交渉に）参加するな』との信じられないような大きな圧力にもかかわらず、アフリカ大陸諸国が役割をはたしたことに感謝したい」と発言しました。これは、核保有大国による激しい妨害が行われたこと、同時に、妨害をはねのけて会議が堂々と成功をおさめたことを示す発言として、たいへんに印象的でした。

「できあがった」条約を前にして、核保有大国の立場はいよいよ苦しくなってきました。条約採択を受けて、米英仏3カ国が共同声明を出しました。その内容は、〝こんな条約では核兵器は1発も減

志位和夫委員長の記念講演を聞く人たち＝2017年7月19日、東京都中野区

らない〟〝世界の安全保障の枠組みを弱体化させる〟という全面否定論です。〝条約は無力だ〟と言うわけですが、それならなぜ〝金切り声〟をあげて反対するのか。本当に無力であれば、放っておけばよいではないか。〝金切り声〟をあげて反対せざるを得ない、その事実のなかに、核兵器禁止条約の大きな力が示されているのではないでしょうか。（**大きな拍手**）

日本政府も、追い詰められています。唯一の戦争被爆国の政府なのに交渉に背をむけました。条約採択を受けて、ただちに別所浩郎《こうろう》国連大使が「日本が署名することはない」と言い放ったことに、怒りと失望が渦巻きました。

閉会後の記者会見で、被爆者のサーロー節子さんは、日本政府の姿勢について、次のようにのべました。「怒り、失望以上のものを感じます。日本政府は、よく核兵器国と非核兵器国の〝橋渡し〟をするといいますが、こうして集まった100カ国以上の人たちの発言に耳を傾ける態度がなくて、どうして〝橋渡し〟ができますか」（「**そうだ**」**の声、拍手**）。痛烈な批判であります。

広島の被爆者の藤森俊希《としき》さんは、次のようにのべました。「はらわたが煮えくり返るような思いです。しかし、政府の対応は国民の力で変えることができます。都議選で政権党の自民党は惨敗しました。国政でもそのことが起きる可能性は十分あります。私は日本の政府がいくら反対してもへこたれません。『核兵器のない世界』をつくる日本の政府が必ずやできると期待していますし、そのために努力していきたい」（**大きな拍手**）

核兵器にしがみつく逆流が、正面に押し立てている議論は、〝北朝鮮が核開発をしている時に、こんな条約をつくっていいのか〟ということです。しかし、「国連会議」を開いていた同じ時に、北朝鮮問題を議題とした国連安全保障理事

会も国連本部内で開かれており、そこでたいへんに興味深い議論がありました。ウルグアイの代表が、北朝鮮の核開発を非難しつつ、次のようにのべました。「現在、（別の会議室で）核兵器禁止条約が採択されようとしている。残念ながら、北朝鮮も核保有国もそこにいない。より安全な世界の目標はそこにある」（**どよめきの声**）

これこそ本質を突いた発言ではないでしょうか。国際社会が核兵器を違法化し、「悪の烙印」を押すことは、北朝鮮を孤立させ、核開発を放棄させる大きな力になることは疑いありません（**「そうだ」の声、拍手**）。「より安全な世界の目標」はここにあるのであります。〝北朝鮮が核開発をしている時に禁止条約に賛成できない〟ではなくて、〝北朝鮮が核開発をしている時だからこそ禁止条約に参加する〟ことが、いよいよ大切になっているのではないでしょうか（**「そうだ」の声、拍手**）。日本政府が、この条約に参加して、〝日本は「核による安全保障」はもう放棄した、だからあなたも核を捨てなさい〟――こう北朝鮮に迫ってこそ、最も強い立場に立てるのではないでしょうか。（**「そうだ」の声、大きな拍手**）

「国連会議」に参加した諸政府と市民社会代表の生き生きとした姿とは対照的に、核兵器にしがみつく勢力の追い詰められた姿がきわだちました。みなさん、未来がどちらの側にあるかは、あまりにも明瞭ではないでしょうか。（**「そうだ」の声、大きな拍手**）

核兵器禁止から廃絶へ――三つの力をあわせてすすもう

核兵器禁止条約の採択は、新たなスタートであり、私たちのめざすゴールは「核兵器のない世界」――核兵器完全廃絶の実現であります。

私は、7月7日の条約採択をうけて声明を発表し、核兵器禁止から廃絶へとすすむうえで、三つの力をあわせることが大切だと訴えました。

第一は、核兵器禁止条約そのものがもつ力であります。この条約は、核兵器に「悪の烙印」を押し、それを違法化することによって、条約に参加していない核保有国と同盟国をも、政治的・道義的に拘束するものとなりました。私たちは、核兵器完全廃絶にすすむうえで、強力な法的規範を手にすることになったのであります。（**拍手**）

第二は、この条約をつくりあげた世界の多数の諸政府と市民社会の力であります。この力をさらに発展させ、核兵器にしがみつく勢力を、国際的に包囲していくことが、「核兵器のない世界」にすすむ根本の力であります。

条約の調印は、9月20日から開始されます。核兵器保有大国の妨害も予想されるもとで、どれだけのスピードと規模で調印がすすむかが、まず大切になってきます。「ヒバクシャ国際署名」がいよいよ重要であります。この署名を全世界で数億の規模で集めるとりくみをさらに発展させることを、心からよびかけたいと思います。（**大きな拍手**）

第三は、一つひとつの核兵器保有国と同盟国で、核兵器禁止・廃絶をめざす世論を多数とし、政治的力関係を変え、核兵器禁止条約に参加する政府をつくることであります。この努力が成功して初めて、「核兵器のない世界」は現実のものとなります。初めてそれは訪れるのであります。

核兵器廃絶の先頭に立つ政府、この課題での国際連帯を

唯一の戦争被爆国・日本で、政治を変えるたたかいは、とりわけ重要であります。

わが党は、日本政府が、従来の立場を抜本的に再検討し、核兵器禁止条約に参加することを真剣に検討することを、強く求めるものであります。（**拍手**）

同時に、私たちは、野党と市民の共闘の課題として、核兵器禁止条約を位置づけることを、提案していきたいと考えております（**大きな拍手**）。それは、この共闘に、核兵器廃絶という日本国民の悲願を大文字で書き込むとともに、世界的・人類的大義をあたえるものとなるでしょう。みなさん、野党と市民の共闘を発展させ、被爆国・日本で、核兵器廃絶を求める世界の本流の先頭に立つ政府をつくるために、力をつくそうではありませんか。（**「そうだ」の声、大きな拍手**）

さらに、私たちは、この問題での国際連帯を大きく発展させたいと考えております。私たちは、3月の「国連会議」第1会期に参加した際に、CND（核軍縮キャンペーン）の一員として参加したイギリス労働党のファビアン・ハミルトン下院議員――労働党の「影の平和軍縮大臣」と懇談する機会がありました。ハミルトンさんは、「次期総選挙で勝利し、イギリスとして核兵器禁止条約にサインしたい」と語りました（**どよめきの声**）。私は、日本も負けていられないと（**笑い**）、野党共闘の話をし、お互いに奮闘を誓いあいました。その後、イギリスはご承知のように突然の総選挙となりましたが、労働党は躍進をかちとりました（**拍手**）。その直後の6月中旬に、わが党の森原公敏《きみとし》国際委員会副責任者がイギリスを訪問し、大差で再選をかちとったハミルトン議員と会談しました。この会談で、日本共産党とイギリス労働党が、平和と進歩のために、最高レベルの交流を行うことで合意したことを報告したいと思います。（**拍手**）

また、私たちは「国連会議」第2会期に参加した際、私たちもその一員である核軍縮・不拡散議員連盟（PNND）の共同議長で、スコットランド民族党のビル・キッド議員と懇談する機会がありました。キッドさんは、私との懇談のなかでスコットランド政府として核兵器禁止

条約を強く支持しているとの書簡をホワイト議長に送ったと語りました。イギリス軍が核兵器を配備している唯一の基地は、スコットランドにある潜水艦の基地なのです。そのスコットランドの政府は、核兵器に「ノー」をつきつけている。スコットランド民族党との間でも、核兵器問題での協力の強化を確認したことを報告したいと思います。（**拍手**）

みなさん、採択された歴史的条約を手に、国内外での共同を思い切って強めて、一日も早く「核兵器のない世界」を実現するために奮闘しようではありませんか。（**大きな拍手**）

党創立100周年をめざして——野党連合政権に挑戦を

今日は、東京都議選と「国連会議」——二つのお話をさせていただきましたが、党創立95周年にあたっての何よりもの喜びは、私たちが、これまでない新しい友人を、日本でも、世界でも広げているということです（**拍手**）。この根本には、党綱領という世界と日本の進路を見通す確かな羅針盤があり、それが生命力を発揮していることを、私は強調したいと思います。（**拍手**）

そして、今日の不破さんと私の話をお聞きくださって、「共産党もいいことをいう」と共鳴していただいた方は、今日ここで出会ったのも何かのご縁ですから（**笑い**）、この機会に日本共産党に入党されることを、心からおすすめしたいと思います（**大きな拍手**）。私は、大学1年生の時に入党しまして、不破さんの70年にはかないませんが（**笑い**）、今年で44年となりました。振り返ってみて、この道を選んで幸せだったと、考えるものであります（**拍手**）。いいところですよ。人間の温かい連帯を広げ、未来を開く組織が日本共産党です。日本も世界も歴史的激動にあるいま、日本共産党に入って、歴史を前に進める仕事を、ご一緒にやろうではありませんか。（**大きな拍手**）

みなさん、5年後には、日本共産党は党創立１００周年を迎えます。95年のたたかいを経てつかんだ成果、切り開いた到達点に立って、開始された統一戦線を発展させ、安倍政権を倒し、野党連合政権に挑戦しようではありませんか。（**「そうだ」の声、大きな拍手**）

日本共産党創立95周年万歳！（**「万歳」の声、大きな拍手**）

ありがとうございました。（**歓声、大きな拍手**）

（「しんぶん赤旗」２０１７年7月22日付）

日本共産党創立95周年記念講演会

日本共産党の95年の歴史を語る

不破哲三社研所長の講演

2017年7月19日

講演する不破哲三・社会科学研究所所長＝2017年7月19日、東京都中野区

会場のみなさん。全国でインターネットをご覧のみなさん。こんばんは。不破哲三でございます。日本共産党創立95周年の集まりにたくさんの方がおいでいただきまして、本当にありがとうございます。

　このように、一つの政党が同じ名前で95年という長い歴史を活動してきた、このことは日本の政治史にかつてなかったことであります。その歴史には、みずから歴史を開く開拓者の精神でこの事業に取り組んだ多くの先輩たちの活動が刻まれているのであります。

　さきの都議選では、全党が「一つ」になったたたかいで、19議席という貴重な前進をかちとりました。この勝利のなかで党創立95周年を迎えたことを、ともに

喜びたいと思うのであります。（**拍手**）

きょうは、この記念の日に、私なりの経験もふりかえりながら、日本共産党の歴史を語りたいと思います。なかでも、今年の第27回党大会決議が結びの部分で強調した、「歴史が決着をつけた三つのたたかい」に焦点をあててお話ししたいと思います。

一　戦前の暗黒政治とのたたかい

軍国少年と教育勅語

まず第一は、戦前の暗黒政治とのたたかいです。

１９４５年8月15日、私は、敗戦の瞬間まで、典型的な軍国少年でした。動員先の工場、明電舎の屋上で敗戦の詔勅《しょうちょく》を聞きました。実はその前の日に、あすは敗戦になるらしいといううわさが工場に流れてきて、そんなことがあるはずがないと、友人と論争したばかりでした。本当に小学校入学以来、教育勅語と軍人勅諭をたたきこまれて育った軍国少年だったのです。

「教育勅語」というのは、幼稚園で大声で合唱するような軽々しいものではありませんでした（**笑い**）。どこの小学校にも、小型の神社風の奉安殿《ほうあんでん》という建物があって、そこにいつもは教育勅語がまつられていました。祝日など学校の節目の日には、校長が恭《うやうや》しくそこから勅語を取り出してきて、全生徒が集まった講堂で、袱紗《ふくさ》の包みからそれを取り出し、厳《おごそ》かに一語一語重々しく読みあげるのです。生徒はそれを、身動き一つせずに頭を垂れて聞く。咳《せき》をすることも、唾《つば》をのむこともできない空気でした。学校生活で、もっとも厳粛な時間だったのです。6年間、それを節目ごとに繰り返すわけですから、暗唱させられなくても、一字一句が頭に刻み込まれました。

内容は、「臣民」、つまり天皇の家来である国民、当時の憲法には「国民」という言葉はなく、「臣民」と呼ばれていました。その「臣民」にくだした、道徳についての天皇の命令書なんです。「朕惟《ちんおも》うに」で始まりますが、「朕」とは天皇が自分を指す代名詞です。その言葉で始まり、この国は天皇の祖先がおこしたもので、国民の道徳もそのとき定めたものだ、だから「爾《なんじ》」ら「臣民」は絶対にその道に背いてはならないぞ、というのが前書きです。道徳の項目も、最初が「克《よ》く忠に」、つまり、天皇への忠義です。そして最後の大項目が、「一旦緩急《かんきゅう》あれば義勇公に奉じ以《もっ》て天壌無窮《てんじょうむきゅう》の皇運を扶翼《ふよく》すべし」、要するに、戦争になったら天皇家の存続のために命をささげろ、こういうことだと、子どもながらに分かりました。

中学に入ると、今度は「教練」という軍事教育が正規の科目になります。各学校に軍人が配属されていて、毎週、何時間か軍事教練を受けるのです。そのときに、今度は、「軍人勅諭」を暗唱させられました。

これも、「我が国の軍隊は世々《よよ》天皇の統率し給うところにぞある」、天皇の軍隊なんだ、途中で実権を武家に取られたが、それを明治維新で取り返した、これが日本の軍隊の本来の姿だ、こういう歴史の解説から始まって、「朕は汝《なんじ》ら軍人の大元帥《だいげんすい》なるぞ」、こういう命題が押し出されます。続いて、天皇への忠義こそが軍人の本分だとしたうえで、「ただただ一途に己《おの》が本分の忠節を守り、義は山《さん》嶽《がく》よりも重く、死は鴻毛《こうもう》よりも軽しと覚悟せよ」。「こうもう」とは鳥の羽のこと、天皇への忠義は巨大な山よりも重いが、君たち軍人の命は鳥の羽よりも軽い、その覚悟で軍人の任務を果たせ、これが軍人勅諭でした。それが、中学生にたたきこまれました。

こういう教育が、日本全土が焼け野原になっても「神国日本」の最後の勝利を疑わない軍国少年を育て上げたのです。

戦後最大の衝撃——日本共産党との出会い

敗戦で、その価値観が覆《くつがえ》されました。新聞の紙面にも、にわかに「民主主義」という耳慣れない言葉や、戦争への反省などが顔を出すようになりました。しかし、それらの言葉にはなかなか実感が感じられませんでした。

そういう中で、敗戦の2カ月後、社会全体を驚かせた出来事が起こりました。「治安維持法」が連合軍の命令で廃止され、獄中にあった闘士の人びとを中心に、日本共産党が、初めて日本の国民の前に公然と姿を現したのです。

あの時代に、主権在民の民主主義の旗、侵略戦争反対の平和の旗を断固として掲げ、民主主義の日本のために、命をかけてたたかった人びとが、そしてその政党があった、「ポツダム宣言」以前の日本に、先駆的な人びとによる平和と民主主義のたたかいの伝統があった、このことをはじめて知ったことは、私が、少年ながらに受けた最大の衝撃でした。

父がとり始めた「赤旗」を復刊第1号から読み、出始めたパンフレットや、古本屋で探せるようになった戦前のマルクス主義関係の本に飛びついて、共産党とその思想・理論の勉強を夢中ではじめたのでした。

戦後の政界は、日本共産党以外は、戦争推進の政党が名前を変えた、にわかづくりの政党ばかりでした。46年4月に最初の総選挙があり、5月から憲法議会が開会されましたが、そこでも、「国民主権」を憲法に明記せよと最初から主張したのは、日本共産党だけでした。7月に極東委員会という連合諸国の会議で、「主権在民」を取り入れろという決定がおこなわれ、憲法議会の最後の段階で、ようやく憲法に国民主権の規定が書き込まれる、こういう状態でした。

こういう状況を見ながら、私は、敗戦の翌年9月、旧制一高に入り、4カ月後に日本共産党に入党しました。１９４７年1月、あとわずかで17歳の誕生日をむかえるときでした。今年でちょうど入党70年になります。（**拍手**）

戦前のたたかいの歴史的な意義

戦前の日本共産党のたたかいの歴史は、日本のどの党ももちえないものでした。そこには、日本共産党が自由と民主主義、平和を断固としてまもる党であることを実証する、不滅の歴史的な記録が刻まれています。

きょうは、その活動を、二つの角度から考えてみたいと思います。

第一は、それが、絶対主義的天皇制という軍国主義的独裁政治のもっとも凶暴な弾圧に抗してのたたかいであったことであります。相手側の最大の武器は、さきほど戦後廃止されたといった「治安維持法」でした。

この弾圧法が１９２５年に制定されてから１９４５年に廃止されるまでの20年間、本当に猛威をふるいました。弾圧による逮捕者は数十万人、投獄された者は5千人を超えるとされていますが、その弾圧法が日本社会に与えた重圧とその残酷さは、こういう数字だけで表現できるものではありません。党の幹部や著名な活動家でも、小林多喜二や岩田義道は、最初から殺人を目的の拷問で、逮捕の直後に虐殺された。獄死者も、党の中央幹部の野呂栄太郎、市川正一、国領五一郎など、５００人を超えました。

こうした暴圧が、日本社会にのしかかっていたのです。ヒトラーがドイツに専制独裁の暴力体制を確立したのは１９３４年ですから、日本共産党への弾圧はそれに先立つもので、当時の資本主義世界でほとんど例をみない、最も凶悪で苛《か》烈《れつ》なものだったのです。

私は、この機会に、この過酷な条件のもとで、国民主権の民主主義と侵略戦争反対の平和の旗を勇敢にかかげ、誇るべき歴史を築くたたかいのなかでその生涯を終えた多くの先輩同志にたいして、心からの敬意と感謝の言葉をささげたい、と思うのであります。（**大きな拍手**）

第二は、日本共産党のこのたたかいを底流として、新しい社会をめざす新しい文化の運動が花開き、戦後の私たちに大きな遺産を残したことであります。

治安維持法の支配のもとでも、戦前の日本では、学問の分野でマルクス主義の理論が大きな力をもつようになり、さらに、文学、演劇、映画、音楽、美術など多くの分野にわたって、当時「プロレタリア文化」と呼ばれた新しい活動が、社会の全体に大きな影響をおよぼしたものでした。

戦前、世界で初めて刊行された『マルクス・エンゲルス全集』（改造社版）＝党資料室所蔵

小林多喜二や宮本百合子の作品も、『中央公論』や『改造』といった当時一流の総合雑誌が競争で掲載したものであります。共産党の地下活動を描いた多喜二の「党生活者」も、非合法活動に移った多喜二から、『中央公論』編集部に郵送で原稿が届けられ、編集者が「転換時代」と題名を変えて、連載したものでした。そういう勇気ある編集者もいたのです。

学問の方面でも、マルクス主義の理論が経済学、哲学、歴史学など多くの分野で、ブルジョア学派をしのぐ力を発揮するようになっていました。

野呂栄太郎が中心になって、党の綱領的立場から日本社会の歴史・現状・展望を分析する講座を計画したときには、大学に籍を置く研究者を含めて多くの人びとが結集し、１９３２年から33年にかけて『日本資本主義発達史講座』全7巻を岩波書店から刊行し、大きな影響をあたえました。

また、マルクスの理論そのものの研究という点でも、ソ連においてさえ、全集の刊行が最初の部分だけで中断していたときに、『マルクス・エンゲルス全集』全32冊、『資本論』を含めると37冊になりましたが、これが世界で初めて刊行されたのであります。このことも、この時代の特筆すべき成果でした。これは、多くの研究者が、マルクス、エンゲルスの文献をヨーロッパ方面で収集しながら刊行したもので、科学的社会主義の研究への大きな貢献となりました。

治安維持法体制のもとでそれに抗して発展した「プロレタリア文化」の諸成果は、戦前の暗黒の時代のもとで、未来をひらく明るい灯《ともしび》となったのでした。きびしい情勢の中での活動でしたが、そこに、戦後に残した貴重な文化的、理論的遺産があったことを、私は強調したいと思います。

二　覇権主義の無法な攻撃とのたたかい

自主独立の共産党——資本主義世界で唯一の存在

　つづいて、戦後の党の歴史ですが、まず第二のたたかい、60年代、70年代を中心とした、ソ連と中国の二つの覇権主義とのたたかいについて述べたいと思います。

　私が入党して3年後の1950年、スターリンの無法な干渉が始まり、それに占領軍の弾圧が加わって、党は「五〇年問題」といわれる分裂と混乱の苦難の状態に突き落とされました。50年代半ばに、この混乱からぬけだして党の統一を回復した時、党は、〃自分の方針は自分で決め、外国のどんな党の干渉も許さない〃という自主独立の原則を決定しました。この原則は、その後の党のすべての活動を貫く基本精神となったのであります。（拍手）

　その後、ソ連と中国の間の論争が激しくなったために、1960年11月、この論争を解決し、国際的な共通の運動路線を確立するために、共産党・労働者党の国際会議が開かれることになりました。これは、第2次世界大戦後、最初の国際会議であり、そしてまた、結局はこの種の会議の最後の開催となったものでした。

　当時、共産主義運動は世界でかなり大きな勢力をもち、そのなかでは、ソ連がスターリン時代以来の圧倒的な支配力を持っていました。国際会議には81カ国の党が集まりましたが、そのなかで事実上ソ連の支配下にあった党が76と、圧倒的多数でした。とくに、資本主義世界で活動している69の党のうちでは、自主独立の立場をとった党は日本共産党だけでした。

　11月の本会議の前に、予備会議が10月に開かれ、ここで共同声明の草案が討論されました。この会議で、宮本顕治同志を団長とする代表団は、ソ連共産党が中心になって用意した原案にたいし、80項目を超える修正案を提出しました。高度に発達した資本主義国での革命の戦略問題や、共産党間の関係での対等・平等性、自主独立の原則など、多くの重要な提起をおこない、間違った主張にたいしては断固とした論戦を展開しました。

資本主義国の党の中でも、当時イタリアやフランスの党は、議会でも大きな議席をもつ党でしたが、それらがみんな、論戦ではソ連の側に回ります。そういうなかで、その時衆議院で1議席しかもたなかった日本共産党が、一歩も引かずに正論を主張する。この毅然《きぜん》とした態度は、会議でひときわ異彩をはなったようであります。

こういう自主独立の党の存在が許せない、このことが、その後起こった二つの覇権主義による干渉攻撃の、共通する背景ともなり、動機ともなったのだと思います。

「ニセ共産党」づくりで日本共産党の転覆を

ソ連は、60年会議の直後から、日本の党指導部内に内通者をつくる工作をはじめ、日本共産党打倒作戦をすすめ始めました。

それが表に出て、ソ連の干渉攻撃との全面的な闘争が始まったのが1964年であります。

つづいて1966年からは、中国の毛沢東派から、同様な攻撃が開始されました。ここであえて「毛沢東派」というのは、当時の中国共産党が、毛沢東の一派が起こした「文化大革命」のもとで、旧来の指導部の主要部分が追放・弾圧され、党を乗っ取られた状態にあったからであります。

どんな状況で干渉攻撃とたたかったか

このときの干渉とそれにたいする闘争の経過は、別の文献に譲りたいと思いますが、きょうとくに説明したいのは、この闘争をめぐる当時の状況の特徴であります。

日本共産党にたいする二つの勢力の攻撃は、手段を選ばない、実に激しいものでした。中国の場合をいいますと、彼らは、「毛沢東思想」を旗印に、対外的な干渉攻撃を世界で手広くおこないましたが、その国の共産党を〝主要な敵〟の一つだと位置づけて、攻撃を集中したのは、日本共産党にたいしてだけでした。

どちらも、海を越えての攻撃だけではなかったのです。内通者を動員して、全国に「ニセ共産党」の組織をつくり、それを日本共産党にとってかわらせる。こういう目的をもった干渉で、当時の国際運動の中でも、前例のない、まさに無法きわまる攻撃でした。

(イ)全党にとっては不意打ちだったという問題

一つは、この攻撃が、全党にとっては、不意打ちだったという問題です。

ソ連共産党への日本共産党の「返書」を一挙掲載した当時の「赤旗」のコピーを示して語る不破氏

日本共産党は、64年以前は、ソ連共産党との論争や干渉行為への批判は、運動内部の問題として、国際ルールを守って、こちらからは公表しないでいました。

だから、64年に始まった干渉攻撃は、全党の目から見ると、まったくの不意打ちで、突然始まったものでした。

私自身、この年の3月、労働組合の活動から党本部に移って、理論政策活動の任務に就いたとき、60年以来のソ連との論争の経過や、ソ連大使館を拠点にした日本国内での干渉攻撃の実情をはじめて知りました。

ところが翌4月には、ソ連共産党から日本共産党への非難・攻撃の書簡が寄せられました。続いて5月には、党幹部で国会議員だった志賀義雄らが、ソ連に追従して反党分派の旗揚げをする。こうして、これを支持するソ連共産党との公然の論戦が始まったのです。

8月末、私たちは、ソ連側の批判に全面的に反論し、数年来の干渉行為を具体的に告発する「返書」をソ連に送りました。この返書を、私たちは9月2日の「赤旗」に発表しましたが、どんなものであったかを紹介するために、そのコピーをここにもってきました。（コピーを手にして）返書は「赤旗」の1面から始まります。論文ではなく相手への手紙ですから、途中、章の区切りはあっても、内容を示す見出しは何もありません。それが8ページも続くのです（**どよめき**）。当時、「赤旗」は8ページ建てでしたから（**笑い**）、その日は特別に12ページ建てにしたのですが、続いて掲載したソ連の書簡が2ページ余り、最後のページはテレビ・ラジオ欄ですから、一般記事は「潮流」欄を含めて1ページに満たない紙面になりました。

これを全国に配布しましたから、読者はびっくりしたでしょうが、これを身につけないと、干渉者とたたかえないのです。なにしろ相手は、海を越えた彼方にいるだけではない。各地に「ニセ共産党」をつくって、攻撃してくるのですから。必死になって、この日の「赤旗」を勉強したものです。

中国・毛沢東派との闘争でも、「赤旗」に発表した月日をとって、「4・29論文」とか「10・10論文」とか呼ばれた長い論文を何回も発表しました。

こうして、文字通り全党が、日々の「赤旗」を手に、「返書」や諸論文を理論的武器にして、干渉者を打ち破る闘争に取り組んだのでした。

(ロ)国内でのマスコミと政界の対応

では、国内ではどんな状況だったでしょうか。

マスコミについていいますと、ソ連、中国、どちらの場合も、干渉の問題を紙面で完全に黙殺しました。私の記憶にある唯一のまとまった記事は、中国との闘争が始まった時に、〝「自主独立」と言うが現実には「自主孤立」ではないか〟、という冷やかしの論評だけです。

とくに、中国の毛沢東派の干渉攻撃は、日本共産党への攻撃というだけでなく、日本の国内政治への干渉そのものでした。日本の国民に議会政治の否定と暴力革命路線を押し付ける呼びかけ、過激派分子が暴力事件を起こすたびにこれを礼賛する報道、まさにむきだしの内政干渉でしたが、この干渉を批判する文章は、日本のマスコミには、ついに一度も現れませんでした。

政界の場合はどうか。社会党は、断続的にせよ私たちと共闘関係にあった党でしたが、ソ連、中国、どちらの干渉の場合にも、干渉者の側に立ちました。中国問題では、田中角栄首相の訪中で国交回復して以後は、各党が競争で「文化大革命」下の中国に代表団を送りました。共同声明で、日本共産党主敵論に同調する代表団もありました。「文化大革命」の問題でも、公明党の代表団が「紅衛兵の目は澄んでいた」という帰国報道をすれば、社会党代表団は、「文化大革命万歳」のプラカードを胸に掲げて北京の市内を歩く姿を演じることまでやりました。

こういう意味では、私たちの闘争は、国内的には、〝孤独の闘争〟だったのです。

「二つの戦線でのたたかい」の中で党躍進を実現

第2次大戦後、ソ連崩壊までの半世紀に、こういう闘争を、同時に二つの巨大な敵を相手にしてたたかった共産党は、日本共産党以外には、世界のどこにもありません。(**拍手**)

わが党は、この闘争に全力で取り組みながら、国内政治での躍進をかちとりました。衆議院で14議席をかちとった69年総選挙、39議席で野党第2党に躍進した72年総選挙、これらの前進もこの激烈な闘争のなかで成し遂げたものでした。

そして、干渉の暴挙に出た二つの党

も、最後には、自分たちの誤りを認めざるを得なくなりました。ソ連は、干渉攻撃の開始から15年たった1979年12月、両党会談で干渉の誤りを公然と認めて反省の態度を示しました。

中国の干渉攻撃は、76年に毛沢東が死んで以後、多少は弱まりましたが、鄧小平時代になっても「ニセ共産党」を支持する干渉活動は続きました。中国側がその態度を根本的に改めて関係を正常化する両党会談が開かれたのは、98年6月でした。この会談で、中国側から、自分たちの行動が「内部問題相互不干渉」という党間関係の原則を破った誤った行動であったことをはっきり認め、「真剣な総括と是正」をおこなったことが表明され、32年ぶりに関係の正常化を実現しました。

二つの覇権主義にたいするこれらの闘争は、世界の運動史に例のない、偉大な闘争だったと思います。そしてその勝利は、全党の総力を結集した奮闘でたたかいとった、まさに歴史的な勝利だったのであります。（**拍手**）

自主独立の立場で科学的社会主義の「ルネサンス」を

ここで強調したいのは、わが党が、自主独立の立場を政治行動の分野だけにとどめず、理論活動の分野でもその立場を貫いたことであります。

世界の運動のなかでそれまで国際的定説とされていたのは、ソ連中心に築き上げられてきたカッコ付きの「マルクス・レーニン主義」でした。私たちは、1976年の党大会で、ソ連流の「マルクス・レーニン主義」と手を切ることを決定し、マルクスの理論そのものの自主的探求とその現代的発展に力をつくしてきました。

私は5年前、党創立90周年の記念講演で、科学的社会主義の「ルネサンス」について述べました。

「われわれが半世紀にわたって取り組んできたこの仕事は、スターリン時代の中世的な影を一掃して、この理論の本来の姿を復活させ、それを現代に生かす、いわば科学的社会主義の『ルネサンス』をめざす活動とも呼べるものだ、と思っています」

こういう仕事をやりとげてきたからこそ、世界を揺るがせたソ連の崩壊という激動の中でも、日本共産党は、科学的社会主義の旗を断固として守り、ソ連とそれを支配したスターリン主義の「巨悪」の実態の科学的な解明に取り組むことができたのであります。

2004年に採択した党綱領は、その輝かしい成果であります。（**拍手**）

わが党が、社会主義の「ルネサンス」を体現する党となり、政治活動のうえでも、理論活動のうえでも、資本主義世界で最前線に立つ党となっていることを、祝賀しようではありませんか。（**大きな拍手**）

三 「共産党を除く」という〝壁〟とのたたかい

支配体制が総力を挙げた戦略的攻撃だった

では、次の第三のたたかいに進みましょう。

70年代は、全体として党と革新勢力の前進の時期でした。途中、宮本委員長（当時）を標的に、戦前のでっち上げ暗黒裁判を材料にした反共攻撃があり、76年選挙で議席を一時減らしましたが、79年の選挙ではそれをはね返して、72年選挙を超える41議席を獲得しました。革新自治体も全国に広がり、70年代後半には社会党との党首会談で、国政での革新統一戦線をめざす合意を3回も確認し合いました。

この流れを一挙に断ち切ったのが、1980年1月10日、突然発表された社会党と公明党の「政権合意」、いわゆる「社公合意」でした。

これは連合政権についての合意と称するものでしたが、その最大のねらいは、冒頭の部分に、「日本共産党をこの政権協議の対象としない」ことを「基本原則」として打ち出したところにありました。これによって、60年の安保闘争以来、70年代まで共産党との共闘関係にあった社会党を、反日本共産党の陣営に引き入れたのであります。

社会党からはこのことについて事前事後、何の通告もありませんでした。突然のニュースを聞いて、私はすぐ、社会党書記長に電話で説明を求めたが、電話口にはでたものの、一言の説明もできず、事実上沈黙の応答でした。こうして、長年の両党会談で築いてきた共闘関係を無通告、無説明で破棄したのでした。

私たちは、社会党の右転落の本質をつく批判をただちに公表しましたが、そのとき、私は、社会党のこの突然の路線転換のかげには、公明党からの工作にとどまらないもの、日本の支配体制の、総力を挙げた戦略的攻撃があることを実感していました。

実際、この「社公合意」を転機として、日本の政界には、「共産党を除く」という〝壁〟、トランプ流の異常な〝壁〟が築かれたのであります。

党は、これにたいして、80年2月の第15回党大会で、日本の民主的再生を願う団体と個人による「革新統一懇談会」の結成を提唱しました。これは、社会党が

統一戦線運動の推進力となった全国革新懇の結成総会。意見発表するのは宮本顕治委員長（当時）＝１９８１年５月、東京・東急文化会館

脱落した情勢のもとで、革新をめざす政治勢力と市民勢力との共闘という方針でした。この提起に応じ、松本清張さん、中野好夫さんの両氏も賛同の声を上げて、81年5月に全国革新懇が発足し、統一戦線運動の力強い推進力となったのであります。

この方針を決めた党大会には、ソ連との和解直後だったという背景もあって、30カ国という党史上最も多数の外国代表団が参加しました。それらの外国代表が無党派の勢力と共産党との共闘という方針に驚きの声をあげ、大会後に私のところに来て、「社会民主主義の政党抜きで統一戦線が可能なのか」という疑問を次々にぶつけてきました。状況と方針を詳しく説明すると、最後には「分かった」と言ったものの、「それにしても勇気が必要な方針ですね」との言葉を残して帰りました。

実際、この提起は、〝共産党と社会民主主義政党との共闘〟、これが統一戦線の核心だという古い図式を乗り越えたものでした。そしてそこには、いま振り返ると、今日の「市民と野党との共闘」を予感させるものがあったのでした。（拍手）

「共産党を除く」というこの〝壁〟は、世界でも異常なものでした。しかし、その政界支配は、34年間も続きました。戦前の党創立以来の抑圧体制、これは23年間でしたから、それをはるかにこえる期間続いたのです。

これを打ち破るたたかいでは、二つの覇権主義との闘争以上の意志と力が党に求められました。そして、今、これが打破されて新しい政治の展望が切り開かれています。その根底には、この長期の苦しい時期を不屈にがんばりぬいた全党の奮闘があったことを、私は強調したいと思います。「苦節10年」という言葉がありますが、「苦節34年」がこのたたかいでした。それがまさに新しい歴史を開く苦闘であったことを、いま、たがいに確認しあおうではありませんか。（拍手）

体制側にとっても多難の道だった

実は、この道は、相手側にとっても多難の道でした。

最初の10年間は、共産党を除く「オール与党」体制のもと、なれ合い政治と金権政治が花盛りとなりました。その結果、89年にはこんなことが起こりました。年初めから、2月の徳島市の市長選、3月の千葉県の知事選、4月の名古屋の市長選、こういう選挙で、共産党がおす候補が、自民党中心の「オール与党」連合と対決して、40％台の得票を得る事態が続いたのです。

マスコミには、共産党の躍進で「政界に地殻変動起こるか」という予想記事まで出ました。この予想は6月の天安門事件とそれに続く東欧・ソ連の激動の始まりで、現実化はしませんでしたが、自民党政治の危機そのものは深刻でした。

それを打開する新戦略が、小選挙区制を中心にしたいわゆる「政治改革」だったのです。ねらいは、小選挙区制で共産党を封じこめ、そのあと、自民党政治を共通の土俵として、一方は自民党、他方は共産党を除く「非自民」野党連合、この二大勢力のあいだで政権を争う、日本の政治をこういう政治構造に仕立て上げようではないか、ここにありました。

それがうまくゆかなくなると、さらに90年代には、財界が総出で本格的な「二大政党」体制づくりに乗り出しました。選挙方式まで、「マニフェスト」方式などという耳慣れない言葉まで輸入して、政権選択の選挙に切り替えて、共産党を国民の選択の対象から外す、そういう新たな作戦にまで踏み出しました。

こういう、小選挙区制と「二大政党」戦略のもとで、最後に誕生した内閣が、第2次安倍政権であります。この政権のもとで、自民党政治そのものの異常な変質があらわになり、いたるところで矛盾と破たんが噴き出していることは、みなさんがいまご覧になっているとおりです。

戦前回帰めざすウルトラ右翼政権への変質

最近、マスコミから私へのインタビューの注文が多少増えていますが、質問内容はすべて共通です。自民党政権の変質ぶりを語ってほしい、いわばその歴史の生き証人としての呼び出しでした。

政策面でいうと、対米従属と財界密着というのは、自民党結党以来の路線です。

「安倍政治」はそれにくわえて、戦前の体制に戻りたい、〝戦前回帰〟という「日本会議」系のウルトラ右翼の怨念《おんねん》を大きな特質としたものです。ウルトラ右翼の潮流というのは、アメリカでもヨーロッパでもいまさかんに問題になっていますが、政権党の主流がこうした方向に変質したというのは、まさに日本独特の現象であります。

「安倍1強」とよく言われます。しかし、「1強」というのは、民意の反映では決してありません。それは、小選挙区制による「架空の多数」でしかありません。

実際、2014年の総選挙をみてみましょう。獲得した議席は、自民党は

290議席、対する野党4党は合わせて98議席でした。では得票はどうか。比例代表の得票率は、自民党の33％に対し、野党4党の合計は34％です。国民の信の多いほうが、議席では少数になる、ここに、「安倍1強」なるものは「架空の多数」でしかないことの、実証があるではありませんか。

そして、これをもとにした現在のウルトラ右翼の支配には、制度的な道具立てがいろいろあります。

第一は、小選挙区制のもとで、総裁が候補者の指名権を実際ににぎり、自民党そのものへの首相の支配権が圧倒的に強化されてきたことです。

第二は、特定秘密保護法（2013年12月成立）で、国政の真相を国民の目からかくす秘密主義が横行していることです。政府に資料を要求すると、分厚い資料がでてくるが、中身は全部黒塗りで見出ししか読めない。こんなバカげたことは、世界に例がありません。こういうやり方で、まさに国政全体が密室化しているのです。

第三は、内閣人事局の設置（2014年5月）です。これで、どこの官庁でも、上級幹部は官庁自身で選ぶことはできず、すべてを官邸が決める体制になった。いわば官僚機構が首相官邸の絶対支配下におかれることになったのです。

こういう体制のもと、国政の「私物化」が急速に進んできました。問題は、「森友」問題や「加計」問題だけではありません。国政の全体が、ウルトラ右翼の潮流によって「私物化」されているのです。安保法制、戦争法もそうでした。「共謀罪」法もそうでした。さらに、今年の5月以来の憲法9条改定の計画は、「日本会議」派が提案したものを安倍首相がうのみにして、自民党に押し付けたものです。

まさにウルトラ右翼の潮流による国政私物化の危険は、いま、より深刻な、新しい段階に入っていると言わなければなりません。

「市民と野党の共闘」が新しい政治への展望を開いた

これとは対照的に、自民党政治とたたかう国民の側では、日本政治上まったく新しい展望が開かれています。

2014年、「オール沖縄」の共闘の成立と12月総選挙でのその勝利は、34年間、日本の政治を支配してきた「共産党を除く」の〝壁〟に、大きな突破口を開けました。

続いて、2015年、安保法制反対の闘争は、「共産党を除く」〝壁〟を全国的な規模で一挙に打ち砕きました。こうして生まれた市民と野党の共闘は、まさに戦後政治の歴史を画する壮挙だと言わなければなりません。（**拍手**）

1960～70年代には政治の舞台で統一戦線への努力を続けた歴史がありまし

た。しかし、そのすべてが80年の「社公合意」で打ち切られ、国政での共同の体制がついに実現せずに終わったことは、さきほど申し上げた通りであります。

２０１５年に成立した今日の野党共闘は、すでに昨年の参院選で、国政選挙での共闘を実現し、自民党による１人区独占を大きく打破するところまで進んでいるではありませんか。（**拍手**）

発展しつつある市民と野党の共闘は、文字通り、日本の政治史を画する意義をもち、さまざまな困難はあっても、日本の政治に新しい段階と展望を開く力をもつことは、すでに実証された現実であります。

自民党政治は衰退と没落の段階に

国民多数の意思に背をむけた安倍政治の暴走は、自民党政治が没落の段階に入ったことを示す末期現象にほかなりません。（**「そうだ」の声**）

都議選での自民党の無残な敗北は、そのことの、何よりもの実証となりました（**拍手**）。マスメディアでも、政治の「劣化」という言葉が公然と飛び交い、安倍政治の「終焉《しゅうえん》近し」ということが現実問題として語られるようになりました。

安倍政権は、日ごとに矛盾と危機を深めつつあります。この危機の根源は、専制独裁という安倍ウルトラ右翼政権の体質そのものにあります。〝内閣改造〟などの小細工では、そこからぬけだすことは不可能であります。

日本共産党の躍進と市民・野党の共闘の発展で、この政権を打倒し、新しい日本政治の実現という、日本列島全体に渦巻く国民的願望を実現するために、力をつくそうではありませんか。（**大きな拍手**）

四　党綱領は世界と日本の激動の情勢を進む道しるべ

今日、国際的にも国内的にも、新しい情勢が展開していますが、私たちは有力な道しるべをもっています。

それは、21世紀を迎えて２００４年に党が決定した新しい綱領であります。そこには、自主独立の立場での科学的社会主義の理論の独自の全面的研究と、半世紀にわたる私たち自身の政治活動の経験・教訓が、全面的に反映しています。

その党綱領の真価が、国内的にも国際的にも試される時代を迎えた、といってよいと思います。（拍手）

世界——大国支配の再現はもはや不可能になった

世界を見てみましょう。党綱領は、大国が世界を支配した時代は終わり、21世紀は、新たに政治的独立をかちとった国ぐにが重要な役割を果たす新しい時代となるという展望を示しました。この7月、核兵器禁止条約の成立は、この変化を画期的な事実をもって示しました。志位委員長を先頭とする党代表団が日本の被爆者団体、平和組織とともに国連会議に正式に参加し、この条約の成立に貢献したことは、本当にうれしいことであります。（**大きな拍手**）

覇権主義の新たな動きに注目すべきことは党大会決定が示した通りでありますが、20世紀のような大国支配の時代の再現は、もはや不可能になってきているのであります。

日本——主権者国民の合意のもとに一歩一歩の前進を

日本自身の問題では、党綱領は、自民党政治に代わる新しい政治の展望を、大きな構想をもって示しました。

新しい政治への変革をめざす党綱領路線の核心は、主権者国民の多数意思を基本にし、その合意にもとづいて変革をすすめるという立場にあります。この立場を、安倍政治を打倒する当面の闘争から、人間の自由を全面的に実現する未来社会にいたるまで、これから開く歴史の一歩一歩、そのすべての局面、すべての段階でつらぬく——ここに日本共産党綱領の基本路線があります。だからこそ、わが党は、日本の将来を見通した大きな展望をもちながら、当面する国民的課題の実現のために、市民と野党の共闘の前進のために、私心なく全力をつくすことができるのであります。（**拍手**）

私たちは、党創立95周年を、政治的激動のさなかに迎えました。この歴史は、党創立以来、多くの同志たちの苦難にたえた奮闘によってつづられてきたもので、今日の新しい政治的情勢も、全党の努力と活動によって基礎が築かれました。その途上に生涯を終えた同志たちの志を引き継ぎつつ、日本共産党の歴史の輝かしい新たなページを開いてゆこうではありませんか。（**大きな拍手**）

歴史を築く大きな気概を持って、当面する中心任務——日本共産党の躍進と市民・野党の共闘の前進、この二つの任務をしっかりとにぎり、安倍政治の打倒、日本の政治の国民的転換という大目標の実現のために全力をつくそうではありませんか。（**大きな拍手**）

　そのためにも、私たちの党が、この目標実現にふさわしい大きな力をもたなければなりません。５年後にせまる日本共産党創立１００周年を、このたたかいと党建設の努力の、実り豊かな、さらなる前進の中で迎えようではありませんか。（**大きな拍手**）

　どうもありがとうございました。（**長く続く拍手**）

（「しんぶん赤旗」２０１７年7月23日付）

壇上で紹介を受ける19人の新都議会議員＝2017年7月19日、東京都中野区

新都議のあいさつ

日本共産党創立95周年記念講演会で、新しい都議を代表して、大山とも子、原のり子両都議があいさつをしました。その要旨を紹介します。

19議席　個性豊かな力

大山とも子 都議

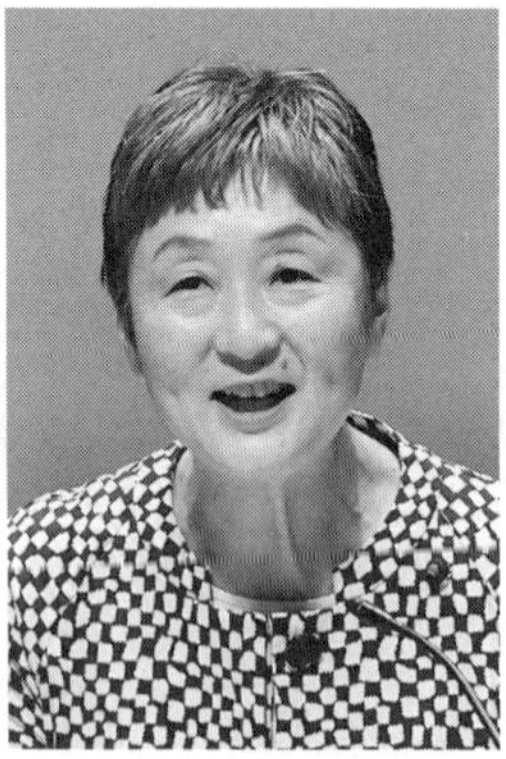

東京、全国のみなさんの大奮闘、本当にありがとうございました。前回に続き躍進することができました。みなさんの力で勝ち取った19議席です。個性豊かな一人ひとりの力を大いに発揮し、徹底した調査と論戦、積極的提案にもいっそう磨きをかけ、19人の都議団は事務局と団結して公約を実現するため全力をつくす決意です。

都議選をたたかって実感していることは、今回ほど都民から近づいてきてくださった選挙は初めてだということです。こわい顔をして近づいてきて、「安倍首相はひどすぎる。やっつけてくれ」など、安倍自公政権、「森友・加計問題」などへの怒りと共産党が頑張ることがつながっています。

もうひとつは、街頭で演説している

と、通りすがりに立ち止まって聞いてくれる人が珍しくなかったことです。70代と思われる女性は、ちょうど話が終わったところに通りかかり、「誰に入れたらいいのか聞き比べて判断したい」とのことでした。その人は翌日も聞きにきて、渡しておいた法定ビラも読んでくれていたので、「ぜひ友達にも話して」とお願いすると、「大丈夫、話しておきます」と、とても好意的でした。

赤ちゃんを連れたお母さんから、憲法9条だけは守り抜いて、と言われ、築地の仲卸という男性は自分たちも頑張るけれど、共産党も築地で頑張ってと、ぎゅっと手を握ってきました。

多くの都民の願いをしっかり受け止め、運動と力を合わせて都政を前に進めるために全力で頑張ります。

幅広い共同　響き合う

原　のり子　都議

定数2の清瀬・東久留米（北多摩4区）地域から、16年ぶりの議席を獲得しました。自民現職、そして選挙直前に民進党を離党し、都民ファースト推薦となった現職2人が落選する結果となりました。

この地域には石原都政時代の都立清瀬小児病院廃止に反対した運動をはじめ、さまざまな粘り強い運動があります。そこに安倍政権への怒りが重なり、この結果を生み出しました。まさに市民の力だと実感しています。

今回、学んだことが二つあります。

一つは、確かな前進が生まれていることです。シルバーパス充実へ「高齢者と若い人をてんびんにかけるような考えは間違っている。対立ではなく、共生を」との訴えに共感が寄せられました。国民の苦難解決に取り組む日本共産党の立党の精神が響き合うことを感じました。

もう一つは、保守層や無党派層など幅広い方々との共同です。

感謝と敬意をこめた「都市農業への思い」という政策リーフを、農家の方の助言を受け作成し、農業後援会の力も借りて配布したところ、対話が広がり、回し読みもされました。

また、党派を超えた多くの方が推薦人になってくれました。一致点を大事に、市民の力で政治を変える選挙になり、感動しました。

19議席への躍進は、全選挙区の努力の結晶です。この都議選が、必ず衆院選につながると確信しています。力をお寄せくださったすべての方に感謝を申し上げ、都議団の一員として頑張る決意です。

（「しんぶん赤旗」2017年7月20日付）

〈 メ　モ 〉